A SONG FOR YARROW

To Tom Valentine
With best wishes
Walter Elliot

A SONG FOR YARROW

A selective trip down the Yarrow valley

Verse by
Walter Elliot

with drawings by
Alfons Bytautas.

Contents

A Song For Yarrow

A song for Yarrow. How to start?
It must be written from the heart,
And how to put in one short tale
The story of the Yarrow vale?

An ancient minstrel, so they tell
Did sing the song of Yarrow well
Faint echoes of his songs yet last
To tell the tale of Yarrow's past.

The minstrel now is gone; but still
When summer lights the Tinnis hill
And heather blooms on Newark's braes
The ear can sense his ancient lays
For Yarrow as it rolls along
Still carries on the minstrel's song.

Birkhill

How Tae Stert?

Let's stert at the tap when the world is still
An await first light aside Birkhill.
The deserted auld hoose that looks sin tae spread
As a rickle o stanes on the watershed.
Bit oo'll hunker doon til a touchen ray
Comes owre the tap o the Birkhill brae;
First cauld an clear in its early light,
Then a smidge o heat as it turns mair bright
Til yellae, it colours the slate-gray shale
As it beeks on the hills o the Moffat dale.
Then ontae a shooder, hilch a pack load.
Turn tae the east an tak tae the road.

Bit haud on the noo, for Ah'm no sae shair
That tarmac's for me, for Ah dinnae care
For the cars an lorries that wheesh on past,
Deaven yer lug as ye breathe exhaust.

Let's tak tae the hill; it's a gey sair caa
Tae clim the face o the Herman Law,
Bit oh the bliss when ye get tae the tap
Tae share clean air wi the lark an the whaup.
Blythe is the stert that ye get tae the day
Wi the sun on yer face on an upland way.

The Upland Way

Bie now the sun has burnt awae
The dewdrops o the early day.
Then merry larks dae soar an sing
Fulfillen promises o spring
While peeweets skreigh upon the bent
An in short gress there is the glent
Where mountain pansies hae the pouer
Tae pit forth a wee gentle flouer.
The warmen sun brings honey smell
Frae croppit gress an heather bell.
Then listen as ye tak yer ease.
The distant hum o worken bees.

This is a place Ah fain wad stey
Bit onwards oo maun press oor wey.
So upwards on the Peniestane Brae
Tae join the Southern Upland Way.
Then owre the hill wi stellin heels
An airt on doon tae Tibbie Shiel's.

Tibbie Shiel's

Sit in the Inn or walk bie the trees,
Feel the air o the strengthen breeze
That ruffles the water; watch it lap
Against the shore wi a steadie tap.
As ye walk alang wi een dooncast
Ye ken that ghosts frae oot o the past
Hae joined ye in the lochside walk
An cheerfully dae tak the crack
Tae tell o Tibbie.

James Hogg

A bonnie beildit welcome spot
Whar oft Ah met wi Walter Scott
An monie o the gentry lot
      Whae cam tae dine.
They shared the honest country pot
      An liked it fine.

Here at the gloomy wunter's end
The great or noble wad unbend
And at Tibbie's, time wad spend
      In couthy cheer,
The honest Forest fowk wad tend
      Tae come aa year.

The guidwife, honest Tibbie Shiel,
Respectit high bie laird an chiel
Made bannocks o the barley meal
      An yowe-milk cheese.
Glenlivet drams sin mak ye feel
      Richt at yer ease.

Noo ma brain nae mair Ah'll rack;
Ah'll feenish aa ma Ettrick clack
An hand ye on tae yin whaes knack
      Does never falter.
Then wul ye ma opeenion back.
      o guid Sir Walter?

Sir Walter Scott

Indeed good Shepherd, I tell the tale
Of when I come to the Yarrow vale
When day has set upon Bowerhope steep
And St Mary's Loch lies still and deep.
I turn my foot in the cold moonlight
To the end of the Loch, where beacon bright
Beckons to all, both far and near
With promise of company and cheer

A worthy welcome waits you there.
The lady in the old oak chair
Was widowed young with children six
And yet her welcome is a mix
Of warmth and noble dignity,
Of humour and sobriety.
It is no wonder many came
To greet the hostel's worthy dame.

For here there is no social class
As men grow brotherly, glass by glass
With never a thought is given how
They earn their bread by pen or plough;
And yet, they always take good care
To ne'er offend the hostess there.
If thoughtless stranger cause her woe
Her other guests are never slow
To point out rules that he'd misused
And swiftly he was disabused.

Yes, Shepherd, Tibbie's is my choice
Though now I let another voice
Who has in Yarrow spent some days,
Take up my tale and sing its praise.

William Wordsworth

When first I saw fair Yarrow's stream
Some minstrel's harp did seek my ear;
I stood as in a waking dream
While breathing deep the air so clear.
For at my feet, St Mary's Lake
Did seem a land of bliss.
My heart was light as eyes did take
A scene so fair as this.

And could this be the famous vale?
The vale of so much sorrow
Where ancient minstrels tell the tale
The Dowie Dens of Yarrow.
It cannot be, for I must think
By no imagination
Could bloody ballad ever link
With this divine creation.

A cosy cottage nestles near
A place of quiet reflection,
A place where one can sit and steer
The mind to recollection.
The blue sky, bright above the Lake,
The hills reflected glory,
At Tibbie Shiel's, my ease I take
And here I end my story.

DEMNATION! Low skimmin owre the Bourhope Law
Twae planes hae gliffed ma ghosts awa.
Ah fair enjoyed their auld-farrant crack.
Now lace up the buits an get back tae the track.
Tho on oor wey bie St Mary's Loch
Oo're worried bie midges bie the flock. *

  * Tae aa Scots, Ah apologise
     If that rhyme did mak ye fizz
     But tae onie English reader
     It's the only yin that dis.

The Yarrae Midges

The midges in Yarrae are as big as a sparrae
An when it is put tae the test,
Some that Ah knew could bite their wey thru
Anorak, jersey and vest.

In Yarrae, ye know, a lang time ago
Elephants roamed day and night
Till the midges came in and then did begin
Tae swallae them up in yin bite.

The midges Ah've seen hae wee beady een
Big teeth an huge flappin lugs
Yin that Ah saw, fought a close draw
Wi yin o Jim Mitchell's best dugs.

Walkers that stray on the Southern Upland Way
If they're lucky, they're bitten bie a cleg
But if they're the sorts that gaun roond in shorts
Maistly they're wanten a leg.

And in the trough o St Mary's Loch
If the heid o a monster dis loom.
Dinnae make a mess bie phonen Loch Ness.
It's a Yarrae midge oot for a soom.

Henderland

Then up bie the Meggat, oo'll pause in oor walken
At the mooth o the glen where nature stands still
Where bluebell an heather an foxglove an bracken
Blaze green or gold-edged on the side o the hill.

Then on up the road past Henderland ferm,
A weel-keepit place wi guid dykes made o stane
Where the Mitchells hae been for monie a term
An auld valley faimily, lang may they remain.

On up the road, then make a right turn,
Look an ye'll see a fair rickle o stanes
At the fit o the hill on a knowe near the burn
O Henderland's touer, this is aa that remains.

A lang time ago, King James cam tae the Border,
The fifth o his name tae ascend Scotland's throne.
He swore bie the Rood, he wad bring law and order
Tae the rough Borderland where lang there was none.

Wi five thoosand men, he swept doon the valley,
Will Cockburn o Henderland a prisoner was taen.
Wi owre few men tae attempt make a rally
Cockburn's young wife alone did remain.

Henderland's laird, bie his freends was foresaken
As the King hanged him high owre his ain castle waa,
The keep was dung doon an aathing was taken
Leaven the widow wi nae help at aa.

She cut doon his body and tenderly washed it.
Dug a grave bie the burn and lowered it in.
She sat bie the grave where the waterfaa splashed it
An frae that day tae this it's been caa'd the Dow Linn.

An frae that day tae this, the Borders are chary
O Establishment order or official command;
Rule bie the rich has made them gey wary,
The rough men whae live in the wild Borderland.

*Doon now tae the Kirk o St Mary's o the Lowes
and the tale o*

The Bourhope Resurrection

There's monies a tale aboot Yarrae's braw vale
Where the scenery's nearen perfection
Bit the best yin they tell that Ah've heard o masel
Is the tale o the Bourhope Resurrection.

Now Bourhope ye ken, sits snug bie a glen
At the side o the Loch o St Mary's
Owre the loch if ye cared, ye could see the kirkyaird
That yince was the haunt o the fairies.

It happened yin time in the days o lang syne
An noo there's nane leiven that mind it
An gin that ye look for the tale in a book
Ah quaistion that ever ye'd find it.

O the days that Ah tell, Auld Russell himsel
Was gien them laldy in Yarrae
Wi damnation, hellfire an strang heavenly ire,
He wad weir them alang strecht an narrae.

Weel, yin Sabbath Day that was murky an grey
When the Bourhope fowk cam frae the kirk,
At a quarter past three, they sat doon tae their tea
An the sun burnt its wey thru the mirk.

In the story they tell, there was a lood yell
An the mistress gaed white as she raves
"Look owre an ye'll see, as plain as can be
The deid risin oot o their graves".

They toved oot the lot, what a gliff that they got
As they saw in the sun's yellae light
At each gravestane there stood, a fair muckle crood
The feck o them aa dressed in white.

Then the maister did say, "It's come Judgement Day
An it's nae guid jist skreighin an brayin
If ye wad save yersel, frae Auld Clutie in Hell
Ye'd better get on yer knees prayen".

They aa knelt aboot an the Bible cam oot
The maister read oot ilka lesson.
There was monies a tale wad end in a wail
As they aa got aroond tae confessin.

Young Jimmie the Herd thocht it kindae absurd
As they aa knelt sae lang on the flair.
He had a look roond since nae trumpet soond
Had caa'd them for twae oors an mair.

Ootside he did jouk an he went for a look
Tae where the deid were arisen
An there didnae fyke tae keek owre the dyke
What he saw there was really surprisen.

Frae gravestane tae gravestane, each bit on its ain
Frae the back dyke tae near the beginnen
An lookin like a fair as it blew in the air
Was yaird upon yaird o white linen.

Young Jim got a shock when a packman caa'd Jock
Speirt at him what was he daen
Tho he laucht fit tae burst when Jim telt him the worst
At the thocht o the Bourhope fowk prayen.

Auld Jock had a pack that he humphed on his back
That held linen baith braid an narrae
The best o the skill o the new linen mill
That he sellt roond the ferm-touns o Yarrae.

Bit Jock, the nicht afore, had chapp't on the door
O the inn that was caa'd Tibbie Shiel's
An was there welcomed in wi rumbustious din
Bie a hantle o like-minded chiels.

It was weel efter twae when aa got awae
An roond bie the Capper, Jock leggit.
He tripp't in a drain, went doon like a stane
An tummelt richt in tae the Meggat.

He felt aa agrue an his pack was soak't thru
No that Auld Jock could hae cared,
Wi nae bogles in sicht tae gie him a fricht
He bedded doon in the kirk-yaird.

He wakened next day on a hard bit o brae,
His throat was as het as a fire.
He got oot each cloot an steekit it oot
Tae try tae get it some drier.

An this wad hae been what the Bourhope fowk seen
An what caused them sic a furore
Bit come Judgement Day they'll no need tae pray
For they have aa din it afore.

The Rose of Dryhope
(The sequel to the Dowie Dens of Yarrow)

Three years had come, three years had gane
Since that day o sorrow
When the comely youth was cruelly slain
On the Dowie Dens of Yarrow.

John Scott of Dryhope sorrowed lang
A waefae man was he
For he had gien the harsh command
That garred the callant dei.

High, high above in chamber close
In Dryhope's auld grey tower
A maiden sat in mourning there
- It was Yarrow's faded Flower.

Wan, o wan, was her gowden hair,
Dull, dull her bright blue een
Her mouth was turned intae itsel
Where maist a smile had been.

"Come doon, come doon," her father said.
"Come doon and sit wi me,
I cannae bear your sorrow mair
I leifer sin would dei."

"For you are now o eighteen years.
Come doon tae join the leiven
Forward look and live your life
Cease frae aa your grieven".

"Now haud your tongue my father dear,
You mind me but of sorrow.
I live my life from day to day
And think not of the morrow. "

But she came down frae the high high tower
And ceased from all her sorrow
She bloomed again did Mary Scott,
The fairest Flower in Yarrow.

It was about the Martinmas
When hills were growen bare,
A callant came to Dryhope's door.
He was Harden's son and heir.

"What seek you here, young Walter Scott?
For weel I ken your sire".
"Dryhope, I seek but a meal o meat
And a heat by your ingle fire".

"Then seek you here to take my land
Or seek to beg my sword?
For Dryhope is from Harden held
And he is my leige lord".

"I come not here to seek your land
To neither beg nor borrow
But I come here to seek a bride
On the bonnie banks of Yarrow

Though I am Harden's eldest son
And you're at his command,
But here I come a beggar low
For the Rose of Dryhope's hand''.

''Alack, alack'' her father said
''That gift I cannot gie
I yince did try command her love
It left three years of miserie

But pray court to my daughter dear,
Take tent you do it tenderlie
And gin you make her smile again
My greatest blessing I will gie''.

Young Harden courted tenderlie
And Yarrow's Rose bloomed fair,
And scarce a twalmonth had gone bye
Til they wed in St Mary's Kirk there.

Thus happiness came to Mary Scott,
The Flower of Yarrow so fair,
She lived her life, content with her lot
Wedded to Harden's heir.

And six young sons give little time
To think with thoughts of sorrow
Of the comely youth she loved lang syne
On the bonnie braes of Yarrow.

Scotland's First Landin Strip

On Dryhope haugh, Ah had better mention
Lunardi landed his het-air balloon
Tho maist fowk had kent it was his intention
Tae gaun tae the Solway ere he put it doon.

But up in the clouds, Lunardi was fleein
An stotten alang sae blythely and free;
When the mist opened up he couldnae help seein
A glisk o St Mary's that looked like the sea.

''Sacre bleu'' thoucht Lunardi, in a bit o a fankle
Thinken that maybe he was doomed tae droon.
He made a deceesion altho it did rankle
Tae let the het air oot his muckle balloon.

He came doon wi a dunt, loupit oot o the basket
Pechen awae, up the bankin he speiled,
He was seek as a paddock an sairly forjasket
When he lairned that he'd landed in Dryhope ferm field.

An this is the story Ah aye tell the fowk
That Ah'm taken aroond on a Yarrae bus trip.
It's serious claim an nae wey a joke
That Yarrae gied Scotland its first landin strip.

The Douglas Tragedie

Oo'll stop on the Brig
Where the Douglas Burn
Prattles alang wi monie a turn
Doon frae the high Dun Rig

Past Blackhoose an Mutton Ha
The place said tae be
That o the Douglas tragedie,
But it wasnae at aa.

Nor was it the Seiven Standin Stanes
Altho there arenae seiven
There are eleiven (oniewey)
An they are Bronze Age remains (oo think).

Douglas Braes are rocky knowes
Where men hunted gold, gethered nuts
Leaven traces o their huts
Where Tammy now grazes his yowes.

The Douglas Craig there,
Half a mile frae Yarrae
Where the burn is narrae
Stands oot stark an bare.

If ye look, ye can see
Rock chambers carved oot
An leaven nae doot
Where the touer wad be.

Ye can take it frae me,
Ah tell ye nae lee
The place that ye see
Is that o the Douglas tragedie.

The Yarrae Bus Trip

Ah was taken a bus trip yin day
Up Yarrae, doon Ettrick - ma usual route.
Aboot the time o Chernobyl, Ah'd say
In fact there is little doot.

Onieway in the haughs there
Were some sheep, yellae for the sale
While the rest didnae seem tae care
That they were still dirty an pale.

A young lassie got awfae fashed
Til nae mair her wheest could she keep
She came doon the bus an she asked
"Are these radio-active sheep?".

Opposite Eldinhope

A moment tho, there is nae need
Tae dash doon Yarrae at fu speed,
This is a likely place tae stop
An take a look at Eldinhope.
Altrieve Lake was then its name
When the Ettrick Shepherd came,
For Eldinhope was the name then
O the hooses in a nearby glen.

In echteen hunder an seiventeen
Altrieve Lake was the Shepherd's dream;
A nominal rent was the sole fee
Which really means is near rent-free.
The Buccleuch's kindness was weel-meant;
The Shepherd could hae been content
Tae pleugh the acres o his fields
An live within their fruitfae yields.

But he couldnae settle on the land
For aye the pen was in his hand.
His yin intent remained the same
Tae see the laurel wreath o fame
Be placed upon his worthy heid.
Tae supply this driven need
He laboured here baith lang and hard
Tae take the place o Scotia's bard.

He laboured lang in failen health
Acquiren fame but little wealth.

He deid in Yarrae lang ago
But yet his tales pass to and fro;
And when they take his works asunder
Professors shake their heids in wonder
That a man o little education
Can still entrance this modern nation.

The Gordon Airms

When the road up the Yarrae reaches the place
Where it crosses the yin frae Ettrick tae Traquair
Ye need little excuse tae make oot a case
Tae stop at the Gordon, the hostelry there.

Gin ye're oot in the car or jist ha'en a walk,
It's a guid place tae stop if ye're wanten yer tea
While in the front bar, there is a guid crack
A interestin place, ye can take it frae me.

Built bie John Gordon aboot echteen hunder
A contractor maken the Berrybush track,
Peyen money tae navvies, it is little wonder
He thocht o a wey tae get maist o it back.

The inn was built while the navvies quick learned
That 'tic' was advanced as they worked for their keep.
They sin fund oot they owed mair than they earned
Bie the time that the road got as fer as Hartleap.

It was here Scott and Hogg met, and they pairted,
The very last time on earth they wad meet.
James Hogg, tho auld, was still lion-hearted
While Sir Walter was bent and unshair on his feet.

What pleisurs they've gien thae twae men; what glory
They heaped on the Border bie the wecht o their pen.
They uplifted us aa bie their verse, sang and story.
Oo never wul see twae sic men again.

The Yarrae Feus

A guid idea o the Duke o Buccleuch's
Became the place they caa Yarraefeus.
It was seiventeen hunder and ninety twae
When the Duke was gaun up Yarrae yin day
Driven alang in his spanken new rig,
He jist crossed owre the Catslackburn brig
Where naething was seen but bare empty howes
Atween that place an the Mount Benger Knowes.
He minded a ploy that he kept in his heid
That wad help tae supply a man-power need
O smiths an dykers and mair o that kind
Whae could dae maist owts if they were inclined.

He turned roond his rig an gaed back tae Bowhill,
Summoned the factor an telt him his will.
He wanted the bare hill divided in lots
An leased tae young tenants, especially tae Scotts
Tae allow them tae ferm the holdins he'd made
An at the same time, tae cairry on their trade.
This deed was accomplished wi thocht an wi care
Altho, Ah'll admit, the grund was worth mair.
They improved aa the land, there is little doot
An it browt in mair money when it was feued oot.

A guid bargain tae aa, was this kindly ruse
In the place that is kent as the Yarraefeus.

Whitefield and the Warrior's Rest

1500 B.C.

Fer back afore Yarrae got its name
A band o hunter-getherers came
Up the valley, getheren nuts
An killin deer; they built their huts
On a flat bit grund bie the river side
Where the valley had opened a bit mair wide.
Wi aixes o bronze, they cleared bits oot
O the forest, grew crops, netted troot
In the river nearby; an yaisen whatever came tae hand
They leived at peace wi thersel and the land.

On higher grund, a staney howe
That at praisant times, fowk ken now
As the Warrior's Rest, they biggit cairns
Tae honour the deid; men, weemin, bairns
Were aa interred an left their banes
In massive structures o river stanes.
Tae succour the deid in future lives
They even bairret them wi knives,
Wi pots o meat an strings o beads
Tae help supply aa further needs.

For three thoosand years, the cairns did stand
Til caa'd doon bie 'improvers' hand
Whae built up dykes wi aa the stanes
An on the fields, they spread the banes
For fertiliser.

500 A.D.

Let's loup on twae thoosand year
When the valley story becomes mair clear,
Bie this time, the fowk o the Roman race
Had come an gane withoot leaven a trace
In Yarrae; bie then, Ah've been telt
The valley was occupied bie the Celt
Whae spoke in a tongue that left a faint trace
O their language upon the names o the place.
They first caa'd it "Garua" which means 'swiftly to flow'
For the 'G' soonds as 'Y' an the 'ua' is 'ow'.
Yin place was Altrieve - 'the place on the knowes'
An what now oo caa lochs, they simply said 'lowes'
(or soond jist like that, for it was spelt 'l-w-c-h')

Oniewey, tae gaun on wi the tale,
The fowk whae leived in the Yarrae vale
Spoke a form o Welsh; their deid went tae rest
In Christian stane cists that faced east an west
On the very same howe that was yaised afore
Bie the fowk whae were here sic a lang time ago.
Naething was put wi the deid in their tomb
But a stane on the tap tae mak shair they steyed doon
An on it, in Latin, they carved on the name
The like ye can see on the Whitefield stane.
(IN TUMULO DUO FILII LIBERALIS gauns tae show
There were Liberals here a lang time ago
- Ah'm kidden ye there, but the rest Ah wul sweir
Is the God's honest truth jist as shair as Ah'm here.)

1800 A.D.

Turn time's clock forrit some centuries mair.
The burial grund that had always lain bare
Was attacked bie 'improvers' wi harrae an ploo
Tae grou better gress for the Meenister's coo.
They caa'd doon the cairns and scattered the banes;
They tried hard tae ploo it but couldnae, for stanes.
The big yins they left where aye they had been
Tae stand oot like sair thooms where still they are seen.

Tho what did they make o the banes they'd howk't oot?
Weel they raxed at their brains an made stories tae suit
Invented bie Hogg and Sir Walter Scott
An quite a wheen mair o yon writen lot
Whae cheerfae latch on tae oniething new
Wi never a thocht tae see gin it's true.

They pronounced a great battle yince had been fought
In Yarrae, an this was the spot
Where vast numbers were slain and Yarrae ran reid
For three whole days; meanwhile the deid
Were dragged intae hots bie the few that remains
An the mounds o the corpses were cover't wi stanes.
Tae explain the stanes standen, the story they tell
That here was where leaders or champions fell.

That is the story passed doon, mooth tae mooth
An tho oo ken now it is lackin in truth
It's sic a guid story that Ah aye hae felt
That if it's a lee, at least it's weel telt.

1990 A.D.

Then let us pass on tae the end o the howe
Where stands a stane cross on tap o the knowe
Owre-looken the road wi its lorries an cars
An mind o the deid o the War-Tae-End-Wars
- Number Yin

Names carved upon stane
At the fit o a cross
Tell little at aa
O the valley's loss

The laddies whae yince
Owre Yarrae did roam
Were scattered in bits
On the fields o the Somme.

The wheen that came back
Maistly hae been
Wanten an airm
Or tint o their een

They deid for their country
Tho maist fowk wad ken
It gied saicond-hand glory
Tae some doited auld men.

War has nae wunners;
When it's put tae the test,
There are losers an some
Whae lose mair than the rest.

Yarrow Churchyard

A shaft of strong sunlight
breaks through the boughs
of the old twisted trees,
creating moving patterns
of light and near darkness
upon the short bleached grass;
a wavering chessboard
in which the gravestones stand like pieces
ready for the master's hand.
Some are obviously king or queen pieces;
many are the pawns while the others
are merely stones from the river,
wanting the dignity of initials even.

Do their size and status mirror
the crumbled dust which lies beneath them?
And lichen, grey and yellow,
colours the older stones.
Is the yellow lichen
symbolic of a wealthier dust?
No one knows.

Neither are we privileged
to know the dreams or fears
that are buried here.
Was Walter Scott proud
of the associated name
of a more famous Walter Scott?
We will never find out.

Yet the people lying here
all trod the selfsame valley
where we now tread.
Their hopes and fears are past
though once as real to them
as ours are to us.

At some future time
will someone look at our gravestones
and have the same thoughts?
By then we will lie at the same level
as those who died two centuries ago.

Ever Onward

Then back tae the road, oo'll take a bit daunder
Past Deuchar Brig an then Deuchar Mill,
Ettlen yin day tae come back an tae wander
Owre Deuchar Swire as it sidelins the hill.

Oo'll daunder tae Tinnis, then stop a bit mair,
A sheep-rearin place, ye'll keep that in mind
Bit turn aroond and ye'll see in the haughs there,
A ferm that is o a quite different kind.

The fermers o auld wad hae thocht it a folly,
Herds birl in their graves withoot onie doot,
For hoo could ye gaun oot an whustle a collie
An set it tae weir - in a field fuu o troot.

On past Auld Tinnis, bie Lewinshope oo'll rally,
Built there on the site o an auld Forest stede.
Another, Fastheugh, is jist owre the valley
Where the hill up abin shakes its heathery heid.

On maist o the hills, ye see fresh-riven scaurs
On grund that was lang grazed bie sheep or bie cattle.
Raws o trees standen, show that in praisant wars,
The gods o the forest are wunnen the battle.

Then Hangingshaw, hame o the brave Outlaw Murray
An Broadmeadies, he held bie the strength o his sword.
Oo'll stroll thru the village, there's nae need tae hurry
Thru the place that grew up bie the auld Yarrae Ford.

At the Brig, the choice o twae ruins hoary
Tae Newark that stands oot sae grim an sae stark
Or Foulshiels that is kent in monie a story
As the birthplace o fer-traivelled Mungo Park

Tae Newark it is then

Five centuries have come and gone
Since masons first laid corner stone
        To the great keep.
A symbol of the Douglas power
When first they built the massive tower
        By Yarrow's sweep.
Replacing Auldwark as their seat
Within the Ettrick Forest beat
        Of Douglas lands
And held by Douglas strength alone
Since the first gift of sod and stone
        From Royal hands.

On the field of Bannockburn
When Scotland's fortunes made full turn,
When haughty Southern turned to flee
And leave our ancient country free,
James Douglas had, as his reward,
For battles fought both long and hard,
The Ettrick Forest as his fief
With King Robert's strong belief
That Douglas swords and Douglas lands
Would ever serve the King's demands.

That hope was vain
For James the second of that name
Was jealous of the Douglas fame
And fearful of their powers
The Douglas he slew with his own hand
Then dispossessed them of their land
        And seized their towers.

The New Wark of Douglas thus became
A portion of the Royal desmesne
And twice did Newark's stately tower
Become the Queen of Scotland's dower
As written by the learned clerk
"Cum turre et manerio de Newerk".

For years throughout the Border Wars
It sustained many battle scars
From English army's cannon shots
Or from disaffected Scots
Who fought against their own deprival
To secure their mere survival.

When the Battle of Philiphaugh was fought
Between Highland horde and Lowland Scot,
Here the Royal Cause was lost
When Leslie beat the Highland host.
The many prisoners taken there
Were lodged in Newark's barmkin bare
Until by Parliament's command
They were slaughtered out of hand.
On the map still plain to see
A place that is "The Slain Men's Lea"
Causing such a hideous blot
On a truly pleasant spot.

The tower was changed again anew
When Anne the Duchess of Buccleuch
                    Retired here.
Her husband, Monmouth, was assailed
When his rash rebellion failed
                    And cost him dear.

Yet Monmouth, it is clearly known,
Bar bastardry, could claim the throne
                    As Charles Second 's eldest son
Who rose from Lucy Walter's bed
Though rumour said that they were wed
                    Ere that begun.
No one knows for certain
And a king is free from censure
But it opens possibilities
On the laws of primogeniture.

Nowadays the stately tower
Is no more the lady's bower.
Nor is it yet the meeting place
Of warriors from the ancient race;
No Scott or Douglas pace the floor
Nor open wide the iron door;
No Minstrel to expand his theme
Nor tell the tales he saw in dream
And many years have passed since blew
The bugle of the bold Buccleuch.

Tho yet, upon the other hand
Neither is aggresive band
Gathering on the Newark Lee
With spears as far as eye can see.
No corpse is tossed upon the fields
Which now good crops of barley yields.

All things pass and when they've passed
Only Newark's tower does last;
Its walls are crumbling now and weak
Oh! if only those old stones could speak.

Ah weel, on tae Cairterhaugh jist doon ablow us
Tae see what Yarrae Show can show us.

The Yarrae Show

Come September, fowk stap in
Tae Yarrae for the Show
Tho often teemin up abin
An clairty doon ablow.
They poor in frae the east an west
The fowk o every station
Tae represent the very best
O this prood ancient nation
    An ithers tae.
In Yarrae at the Show.

The gentry in their fancy cars
Soop in wi practised ease
Look doon their nebs at thaim that daurs
Speir for their entrance fees.
The young Laird, wi his bluid sae blue
Drives lasses aa demented
Bit keeps, gin what they say is true,
A wheen o wives contented;
    The lucky deil,
In Yarrae at the Show.

The hilltap men come loupin in
Wi copper-snooted bits
An auld-farrant troosers that begin
Tae rax doon tae their kits;
Bit what they dinnae ken o sheep
Is no worth kennin aither
They hinch roond parracks in a heap
Tae confer wi yin anither
    An naebody else,
In Yarrae at the Show.

The douce fowk come up thrae the toon
Their een fair roond wi wonder
An steppin cannie on their roond
Lest they mak onie blunder
Like takin a gimmer for a tip.
They study wi perusement
An take great care tae make nae slip
Tae gie the herds amusement
    Or some like thing
In Yarrae at the Show.

The horsey lasses, there because
They haenae onie fears
O loupin cuddies owre brick waas
They've practised it for years.
Gin they get thrawn off at the jumps
They're raised tae sic reverses
Tho on their heids a routh o bumps
An gey sair skin't their erses,
    Hard cheese, Fiona!
In Yarrae at the Show.

A Punk comes in wi bike-cheen suit,
A heid like onie parrot,
A nice bit lad, Ah hae nae doot
An maybe nane the waur o't.
He has his tranny on for days
Wi monie an eldrich squeel,
Ah dinnae ken a word he says,
It's maybe jist as weel
    Cool, man.
In Yarrae at the Show.

The fermers, they aa crood aboot
The tractors an the gear
Unanimously there is nae doot
That aathing's fer owre dear;
Bit here they let their hair richt doon
An relax thersels a while,
A rumour's gaun aboot the toon
That yin was seen tae smile,
   They say,
In Yarrae at the Show.

The pipers, haen aa mairched aboot
In kilts an bunnets braw
Invade the Beer Tent in a toot,
A drouthy Mafia.
Twae drummers tell a lass they met
O hoo the kilt is handy,
The tartan o the ancient sett
O hunting Houghmagandie.
   Vulgarity!
In Yarrae at the Show.

Then gaun intae the Produce Tent
There's no a thing awry
For monie a wearie oor's been spent
Under 'The Rurals' eye.
The judge gied them a sair surprise
(Ah'm shair he had been keekin)
For Mistress Scott won ilka prize
An neebours werenae speakin
   For monie a day,
In Yarrae at the Show.

Sae, at the endin o the day
A guid time had bie all,
They drive or bike or walk away,
A wheen can only crawl,
Then they hae a final blether
As they say 'Cheerio'
An plan that they'll again foregether
   Next Year,
In Yarrae at the Show.

Philiphaugh

Passen doon frae Yarrae Show
When oor feet are rested,
Let us on tae Philiphaugh
Where battle was contested.

Tho now it is a patchwork plaid
Wi fields o waven corn,
Unnumbered deid in raws were laid
Lang years ere oo were born.

In sixteen forty-five here met
Twae valiant worthy foes:
The Covenant bie Leslie led,
The Royalists bie Montrose.

The Royalists camped upon the flat
Where the rivers meet;
Six battles had they newly fought
An never had been beat.

Montrose wi aa his leadin men
Went tae Selkirk toon nearbye,
No for thaim the cauld wet field
When they could be warm an dry.

Next mornen in a thickenen mist
Leslie's men crept roond
In ahint the Royalist camp
While Montrose still sleepit soond.

The Covenanters rallied then
And chairged across the field.
The Royalists were ootnumbered there
Bit yet refused tae yield.

A saicond chairge intae the fray,
Another fierce attack,
The Royalists held them at bay
Until taken frae the back.

Montrose had joined the battle lines
In vain his troops tae rally
Bie now a beaten rabble, they
Were streamin up the valley.

Montrose could dae nowts but flee
For the battle now was lost.
The Covenanters took his men
And shot them at the post.

Some prisoners went tae Selkirk jail,
Some tae Newark Touer,
Expectin little mercy in
The Covenanters' pouer.

The pregnant weemin then were slain
In Ettrick Water nearbye
Where, as superstition decreed,
It was naither weet nor dry.

They tore frae oot the still warm wombs
What they caa'd 'Spawn o the Deil',
While yin meenister was heard exclaim
"The Lord's Work gauns richt weel".

What horror on this field was seen;
What sufferin; what pain,
As War and Religion lang ago
Conjoined upon this plain.

Ah hope oo live in better times,
In peace an love an aa,
But, as warnen, mind the fight
That was fought at Philiphaa.

Finis

And now ma tale. Ah hae tae end
Ah hope ye liked the story
O the Yarrae where in every bend
There lurks some hidden glory.

It's a bonnie place tae wander
In the early light or late,
Tae tak yersel a daunder
Or tae sit and contemplate.

Let's walk it owre and owre again
As lang as oo are spared,
Frae high hill-tap tae river plain,
Tae see how Yarrae's fared.